3 4028 10563 6964
HARRIS COUNTY PUBLIC LIBRARY

W9-ALN-935

Cuando los creadores inspiran a los creadores. ¿Cómo eran Pablo Picasso, Paul Gauguin, **Frida Kahlo** y compañía cuando eran chicos? Es la pregunta que se hizo Marie-Danielle Croteau, reconocida autora de literatura para jóvenes. A partir de elementos biográficos y artísticos, la escritora imagina con total libertad la infancia de los grandes de la historia del arte.

Para los niños del viaje, al país de los grandes

M.-D. C.

La muñeca rota

un cuento sobre
Frida Kahlo

un cuento de

Marie-Danielle Croteau

ilustrado por

Rachel Monnier

I

A Frida le hubiera gustado ser un chango. Sí, un chango. Uno de esos monitos araña de cabeza blanca que visitaban, en aquel tiempo, el jardín de sus padres. Le hubiera gustado vivir en un árbol y ver a los humanos desde arriba. Lanzarse al vacío y agarrarse en el último momento. Y luego comer papayas todo el día y tirar las semillas donde fuera. Sobre todo en la cabeza de los que pasaran. ¡Qué divertido sería!

II

Así, la mexicanita se entrenaba en el arte de trepar. Su mamá la encontraba encaramada en todas partes. Por más que vocife-rara, refunfuñara o la castigara, de nada servía. En cuanto se daba la media vuelta, Frida volvía a hacerlo. Y cuanto más insistía, era peor. Un día, al volver del mercado, la madre sorprendió a su hija colgada por los pies del barandal de la escalera. Era demasiado. Ahogó un grito y se abalanzó al estudio del señor Kahlo.

III

El padre de Frida era fotógrafo. Era muy dulce, muy tranquilo, y siempre parecía un poco triste debido a sus grandes ojos de color del océano. Sin embargo, el señor Kahlo no era triste. Estaba, sencillamente, ausente. Le hubiera gustado estar en otra parte o ser otro, un pájaro quizás. Y claro, las cabriolas de su Frida adorada no lo asustaban. Al contrario, lo hacían sonreír. Tranquilizaba a la señora Kahlo, empuñaba su enorme cámara fotográfica y, más que regañar a Frida, le tomaba fotografías.

IV

La niña estaba encantada. Veía a su papá prepararse, observaba el fuelle de su cámara que avanzaba y retrocedía. Después, en el último momento, la cabeza del señor Kahlo desaparecía, su mano sacaba hacia un lado una especie de pera y después ¡paf! Un relámpago y listo. La imagen de Frida quedaba atrapada en alguna parte dentro de esa caja negra. Se había convertido en un monito en la escalera para siempre.

V

Antes de abandonar su percha, como le había pedido su papá, Frida le dijo:

—Me gustaría mucho también yo fotografiarte.

—De acuerdo, respondió el señor Kahlo. En cuanto te bajes te enseñaré.

Frida protestó. Hubiera preferido que él subiera, pues lo que ella quería inmortalizar era su mundo visto de cabeza. Pero era imposible. La cámara era demasiado grande y demasiado pesada.

VI

—Es fácil, dijo el señor Kahlo. Trata de recordar todo lo que ves y cuando estés abajo podrás dibujarlo. Frida sonrió:

—¡Buena idea!

Y se dejó deslizar en los brazos de su papá, que la instaló en una mesa con lápices de colores y papel.

VII

Frida comenzó a dibujar, para alivio de su madre. Pero la tregua no duró mucho. Primero, la chiquita empezó a columpiarse en su silla. Después tiró el vaso de agua. Finalmente, harta, abandonó su dibujo y salió corriendo. Un momento después, la señora Kahlo la encontró en el jardín: Frida intentaba caminar parada de manos.

VIII

La madre de Frida estaba desconsolada. Pero ¿cómo no admirar a esta niña tan alegre y tenaz? Frida caía de espaldas. Se levantaba. Volvía a pararse de manos. Caía y se levantaba de nuevo. Nada parecía poder detenerla.

IX

Unas semanas más tarde, sin embargo, Frida se encontró de pronto incapaz de moverse. Tenía seis años y su cuerpo, tan ligero, parecía no obstante más pesado que una piedra. Inmóvil en su cama, paseaba alrededor su mirada inquieta. ¿Y si ya nunca volviera a caminar? El doctor la tranquilizó. ¡Vaya pues! ¡Claro que caminaría! ¡Y correría, treparía y seguiría asustando a su madre! ¡Como antes!

X

Frida reía pero, en el fondo, tenía ganas de llorar. Un día había recogido un pajarito que se había caído del nido. Tenía un ala rota. Lo había colocado en una gran concha, lo había cubierto con hierba seca y le había dado de comer. Al día siguiente, al despertarse, el pajarito no estaba. Su madre le había dicho que seguramente se había curado y se había ido volando. Pero ella no le creyó. Los adultos mienten, a veces, para no entristecer a los niños.

XI

La enfermedad de Frida duró nueve largos meses, pero no la habían engañado. Volvió, muy lentamente, a caminar. El señor Kahlo la llevaba con él cuando iba a fotografiar edificios. Como ella se cansaba, él la cargaba sobre sus hombros. Y entonces ella se hacía grande. Extendía los brazos y hacía como que volaba. Le encantaba volar. Durante unos instantes, se olvidaba de sus piernas.

XII

Porque las piernas de Frida no eran como antes. Una había crecido, la otra no. Sin sus botines Frida se parecía un poco a una planta a la que el viento inclina. Eso les daba risa a los otros niños, pero a ella la hacía sufrir. Por fortuna, tenía a su papá para distraerse. El señor Kahlo colocaba su cámara en algún lugar, cargaba a Frida y la hacía observar lo que él veía. Las casas, los árboles, la gente: en el visor todo se veía de cabeza, como cuando ella jugaba al changuito en la escalera.

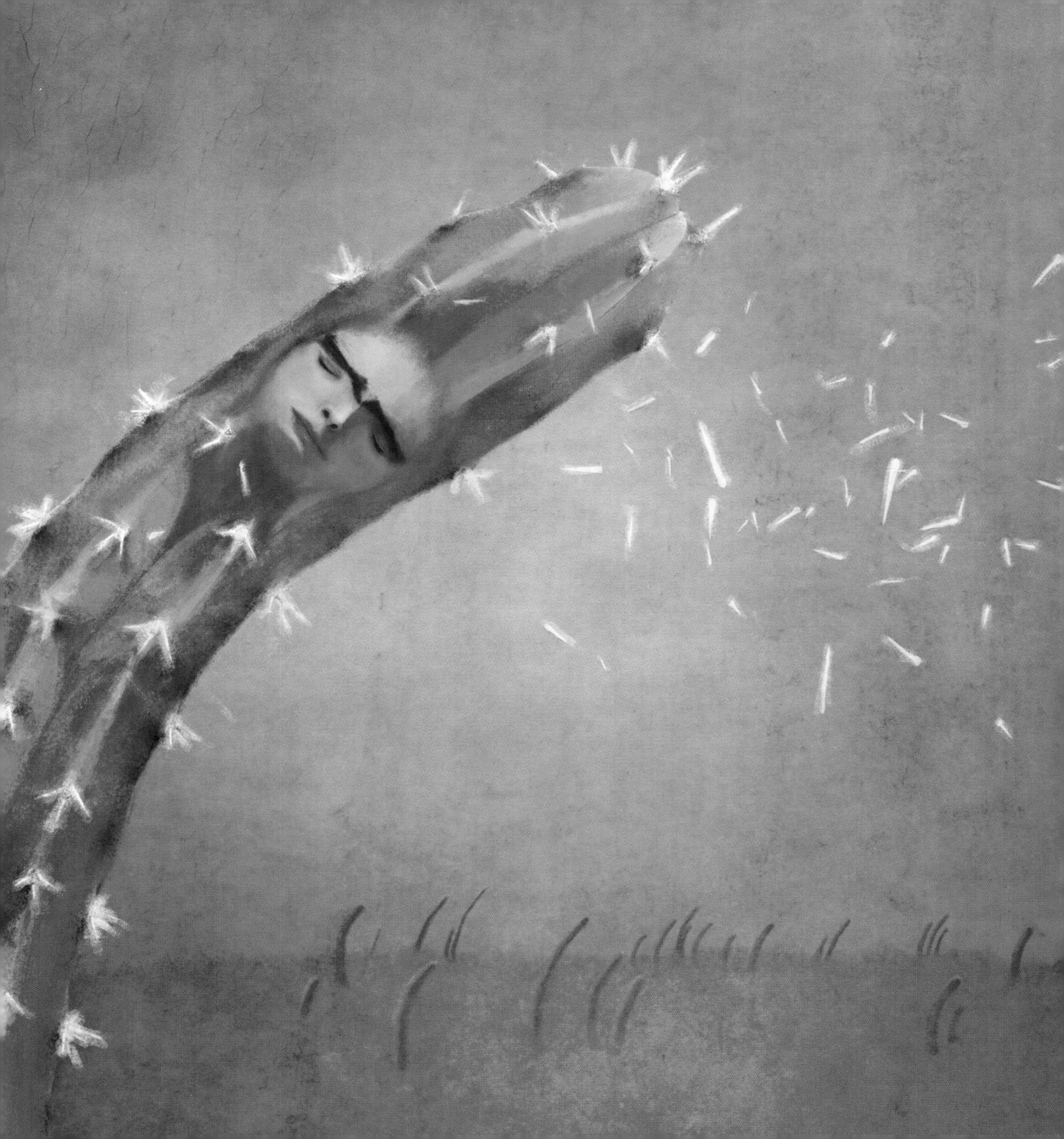

XIII

El señor Kahlo frecuentemente fotografiaba a su hija. Un poco por juego, y mucho para demostrarle cuánto la quería. Un día que ella lo acompañaba en su estudio, Frida le dijo:

—Me gustaría tomarme una foto.

Él la tomó en sus brazos y la sentó en un sillón, frente a la cámara. Ella protestó: no entendía nada. Lo que quería era estar a la vez delante y detrás de la cámara. La fotógrafa y la fotografiada.

Su papá se rascó la cabeza ¡Eso no se podía! De pronto, tuvo una idea. Fotografió a Frida, hizo una impresión de su retrato y lo colocó en un caballete. Después la subió a un taburete para que ella tomara la foto.

XIV

Esa noche, en su cama, Frida contempló durante mucho rato la foto de su foto y esta imagen la siguió en su sueño. Soñó que su papá le había regalado una muñeca. Ella estaba decepcionada porque no le gustaban las muñecas. Hubiera preferido un avión. Pero examinándola se dio cuenta de que esta muñeca era diferente. Era otra ella misma en miniatura, con un cuerpo de porcelana y brazos y piernas de tela. ¡No podía no quererla!

XV

En su sueño, Frida llevaba a su muñeca a todas partes a donde iba y los niños se burlaban de ella. Un día uno de ellos quiso robársela. Ella huía y se subía a un árbol porque era tan ágil como sus amigos, los monos araña. Pero su muñeca se le escapaba. Desde lo alto la veía cómo, en cámara lenta, giraba en el aire y se estrellaba en el piso. Frida se despertó llorando y no se tranquilizó hasta que vio su foto donde la había dejado

XVI

Muchos años después, cuando tenía dieciocho años, Frida tuvo un accidente muy grave. Al despertar, en el hospital, no se acordaba de nada de lo que había ocurrido. Pero el sueño de la muñeca le regresó muy claramente. En su cabeza oyó el ruido de la porcelana al romperse. Y reconoció el dolor que le trituraba los huesos. No sentía miedo. Pidió un gran espejo, lápices y papel. Luego comenzó a dibujar a la muñeca rota. Ese día Frida pintó su primer autorretrato.

Título original: La poupée cassée: un conte sur Frida Kahlo
Texto: Marie-Danielle Croteau
Ilustraciones: Rachel Monnier
Diseño: Andrée Lauzon

Av. México 145-601, col. Del Carmen Coyoacán
C.P. 04100, México, D.F.

www.cidcli.com.mx

Traducción al español: Luis Barbeytia
Primera edición en francés: 2009
Primera edición en español: 2010
1a reimpresión en español mayo, 2011
ISBN: 978-607-7749-12-7

Impreso en México / Printed in Mexico

La muñeca rota
se imprimió en el mes de mayo del 2011 en los talleres
de QuadGraphics S.A. de C.V., Fracc. Agro Industrial
La Cruz, Villa del Marqués, Querétaro, Qro.
El tiraje fue de 3 000 ejemplares